comment élever son papa

Alain Le Saux

On n'a qu'un papa.
Comme il n'est jamais parfait,
il est indispensable
d'être informé sur les façons
de bien l'éduquer.
Un papa bien éduqué
est un papa sans problèmes.

Quand mon papa
crie pour obtenir ce qu'il veut, je lui dis :
«Tu peux crier plus fort ?
Je ne t'entends pas.»
Ou bien :
«Oh ! qu'est-ce que j'ai peur !»
Vexé, il s'arrêtera net.
On ne doit pas se laisser impressionner
par un papa.

Quand mon papa
me demande une faveur, je lui réponds :
«On verra.»
Un papa ne peut pas faire
tout ce qu'il veut.

Quand mon papa
se tient mal,
je ne le gronde pas.
Je lui dis simplement :
«Tu me fais beaucoup de peine.»
Il ne faut pas se mettre en colère
contre un papa.

Quand mon papa
a fait une grosse bêtise,
je réfléchis bien à la punition qui convient.
Une punition juste exige
une grande connaissance des papas.

Quand mon papa
fait un caprice,
je ne marche pas dans son jeu.
On ne doit pas tout céder
à un papa.

Quand mon papa
fait semblant d'être malade
pour ne pas aller travailler,
je lui montre que je ne crois pas
tout ce qu'il me dit.
Les papas sont malins.

Quand mon papa
me ment,
je soutiens son regard fixement,
jusqu'à ce qu'il comprenne
que je sais la vérité.
Un papa doit savoir
qu'il ne peut rien vous cacher.

Quand mon papa
se regarde dans la glace
en se trouvant très beau,
je suis toujours de son avis.
Un papa doit avoir
une bonne image de lui-même.

Quand mon papa
dit qu'il sait tout,
je fais semblant de le croire.
Il ne faut jamais vexer
un papa.

Quand mon papa
me dit : «Tu me prends pour un crétin ?»
je lui réponds :
«Mais non, pas du tout.»
Un papa a besoin d'avoir
confiance en lui.

Quand mon papa
s'énerve pendant une discussion,
je ne perds pas mon calme,
je nous sers à boire à tous les deux,
et nous reprenons
tranquillement notre conversation.
Un papa doit apprendre à discuter
sans se fâcher.

Quand mon papa
me parle, et que je ne comprends pas
ce qu'il veut dire,
je l'aide en lui posant des questions :
«Qu'est-ce que tu veux me dire ?»
«Quel est le problème ?»
Il faut savoir communiquer
avec un papa.

Quand mon papa
me dit : «Je ne te comprends pas»,
je ne lui donne pas
des explications trop longues.
Un papa ne peut pas
tout comprendre.

Quand mon papa
écoute ce qu'on se dit avec les copains,
on arrête de parler.
Un papa ne doit pas se mêler
de ce qui ne le regarde pas.

Quand mon papa
me pose des questions
alors que je suis occupé,
je lui explique fermement
que je lui répondrai
quand je serai disponible.
Il faut savoir être ferme
avec un papa.

Quand mon papa
me montre ses dessins,
je lui dis toujours que c'est très bien.
Un papa a besoin d'être encouragé.

Quand mon papa
ne veut pas rester dans sa chambre,
je le laisse jouer près de moi et lui dis :
«Tu peux rester là, mais ne fais pas de bruit,
parce que je travaille.»
Un papa doit apprendre à ne pas
vous déranger.

Quand mon papa
regarde une émission débile à la télévision,
je ne le lui interdis pas,
mais j'essaie de savoir
pourquoi ça l'intéresse.
Il vaut mieux un papa moyen
qu'un papa malheureux.

**Quand mon papa
refuse d'aller se coucher, je ne cède pas.**
Il ne faut pas se laisser tyranniser
par un papa.

Quand mon papa
est trop agité le soir avant d'aller se coucher,
je le calme en lui lisant une belle histoire.
Un papa a parfois besoin
d'un bonheur simple.

Quand mon papa
me réveille trop tôt le matin,
je ne me fâche pas.
Un papa n'est pas forcément
votre pire ennemi.

Quand mon papa
pleure en m'accompagnant à l'école
le jour de la rentrée, je ne me retourne pas.
Le soir, en rentrant, je lui raconte
ce qui s'est passé en classe et à la cantine.
On doit laisser à un papa
le temps de s'habituer aux changements.

**Quand mon papa
a peur, je ne le force pas.**
Il ne faut pas pousser un papa
au-delà de ses limites.

Quand mon papa
veut jouer à des jeux
qui m'embêtent,
je joue même avec lui.
Il faut savoir consacrer
du temps à un papa.

Quand mon papa
veut jouer tout seul dans son coin,
j'en profite pour voir mes copains.
Il ne faut pas être tout le temps
sur le dos de son papa.

Quand mon papa
est trop agressif, je me demande :
«Ai-je été assez câlin avec lui ?»
«Ne l'ai-je pas humilié récemment ?»
«Ne suis-je pas trop sévère ?»
Éduquer un papa
demande de l'intelligence
et de la psychologie.

**Quand mon papa
est mou, pas marrant, je ne le bouscule pas.**
Un papa a le droit de ne pas être
tout le temps parfait.

Quand mon papa
me demande : «Est-ce que tu m'aimes ?»
je lui réponds : «Mais oui, bien sûr.»
Un papa heureux, c'est mieux.

Papa m'a dit
que son meilleur
ami était un
homme-grenouille

Alain Le Saux — Rivages

Maman m'a dit
que son amie Yvette
était vraiment
chouette

Alain Le Saux — Rivages

Ma maîtresse a dit
qu'il fallait bien
posséder la langue
française

Alain Le Saux — Rivages

C'est à quel sujet?

Philippe Corentin — Rivages

Papa n'a pas le temps

par Philippe Corentin — Rivages

Encyclopédie
des grandes inventions
méconnues

Alain Le Saux — Rivages

Mon copain Max m'a dit
qu'il comptait sur son papa
pour faire ses devoirs
de mathématiques

Alain Le Saux — Rivages

INTERDIT/TOLERE

ALAIN LE SAUX — RIVAGES

Le prof m'a dit
que je devais absolument
repasser mes leçons

Alain Le Saux — Rivages

papa
ne
veut
pas

Alain Le Saux — Rivages

Drôles de nez

Rivages — Alain Le Saux

la maîtresse
n'aime
pas

Alain Le Saux — Rivages

comment
élever
son
papa

Alain Le Saux — Rivages

papa
et maman
m'ont
dit

Alain Le Saux — Rivages

L'AMOUR

C'EST FOU

Nadja — Rivages

Mais qu'est-ce qu'il fait
Momo

Nadja — Rivages